Владимир Степанов

·БУКВЫ·
·АЗБУКА·
·СЧИТАЛКИ·

Художник
Людмила Якшис

Москва
«Махаон»
2009

ВЕСЁЛАЯ АЗБУКА

Аа

АИСТ к нам летит весной.
АИСТ помнит дом родной.
Он гнездо на крыше вьёт,
Лето в гости к нам зовёт.

АКРОБАТ сказал: «Алле!» –
И подпрыгнул на ковре.
Прокатился колесом,
Встал он к зрителям лицом,
Натянул канат, и вот –
По канату он идёт.

Он зелёный, круглый, гладкий,
А внутри он вкусный, сладкий.
Знает каждый карапуз,
Что зовут его АРБУЗ.

АНАНАС и АПЕЛЬСИН
Не растут средь белых льдин.
А растут они на юге,
Далеко от белой вьюги.

В море синее нырнула
И легла на дно АКУЛА.

Бб

Подстригается БАРАШЕК,
Не жалеет он кудряшек.
Знает, надо подождать:
Кудри вырастут опять.

БЕГЕМОТ разинул рот,
Петь задумал БЕГЕМОТ.
Но не слышно в песне слов,
Слышен только
            страшный рёв.

БАКЛАН кричит на берегу:
«Без моря жить я не могу!»

БЕЛКА – с кисточками ушки –
Гриб увидит на опушке –
Прыг за ним с густых ветвей
И несёт в дупло скорей.

Встанет за полночь БАРСУК,
Обойдёт свой дом вокруг.
Тонкий нюх и острый глаз –
Наступил охоты час.

В тихой заводи речной
БОБР построил дом
                весной.
Без пилы и топора
Дом построен у бобра.

Вв

ВАСИЛЁК цветёт всё лето
Нежным цветом,
             синим цветом.
Знает каждый из ребят:
Он – реки и неба брат.

Что сказать про
ВИНОГРАД?
То, что соком он богат,
То, что сок его волшебный:
Не простой он, а целебный.

Сел на ветку ВОРОБЕЙ
И качается на ней.
ВОРОБЕЙ качается –
Лето начинается.

Хороша ВОРОНА птица,
Да в певицы не годится.
Как откроет рот – кошмар, –
Слышно только: «Кар-кар-кар...»

День и ночь по лесу рыщет,
День и ночь добычу ищет.
Ходит-бродит ВОЛК молчком,
Уши серые – торчком.

Гг

Распахнул толстяк стручок
Свой зелёный сюртучок,
А под ним горошины
Ровно в ряд уложены.
Я не зря ГОРОХ ращу:
Приходите, угощу.

ГАЛКА, сидя на плетне,
Головой кивает мне.

ГУСЬ крикливый,
       с длинным носом,
Шея словно знак вопроса.
Смотрит зорко ГУСЬ в луга,
И кричит он: «Га-га-га!»

У ГЕПАРДА грозный взгляд,
Как огни глаза горят.
Он хвостом сердито бьёт,
Он охотиться идёт.

Вырос ГРИБ под хвойной лапой.
Вырос ГРИБ, а с ним – и шляпа.
Никогда на наш поклон
Не снимает шляпы он.

Дд

ДОМ у дятла – без крылечка,
ДОМ дельфина – без дверей.
А у нас есть в доме печка,
И труба, и дым над ней.

Если встретится хоть раз
На дороге ДИКОБРАЗ,
По колючкам сразу
Узнаешь дикобраза.

ДЯТЕЛ – врач лесного царства,
ДЯТЕЛ лечит без лекарства.
Лечит клёны, липы, ели,
Чтоб цвели и зеленели.

ДРОЗД – любитель червячков –
Видит их и без очков.

В тишине морских глубин
Смело плавает ДЕЛЬФИН.
Там, среди подводных скал,
Дом себе он отыскал.

Ее
Ёё

У реки в норе живёт
Серо-бурый зверь ЕНОТ,
Ну а ЁЖ в траве сухой
Тёплый дом устроил свой.

Серый ЁЖИК весь в иголках,
Словно он не зверь, а ЁЛКА.
Хоть колюч молчун лесной,
ЁЖИК добрый, а не злой.

ЕЛОВИК –
короткий хвост,
ЕЛОВИК –
весёлый дрозд.
ЕЛОВИК
не любит скал,
ЁЛКУ он облюбовал.

Даже в зимнюю метель
Зелены сосна и ЕЛЬ.

Что кладёт в корзину Вика?
Это – ЕЖЕ-ЕЖЕВИКА.
Много ягодок пахучих
На кустах, как ЁЖ, колючих.

Жж

На крепком дубочке –
Коричневые бочки.
Это бочки не простые,
Это – ЖЁЛУДИ лесные.

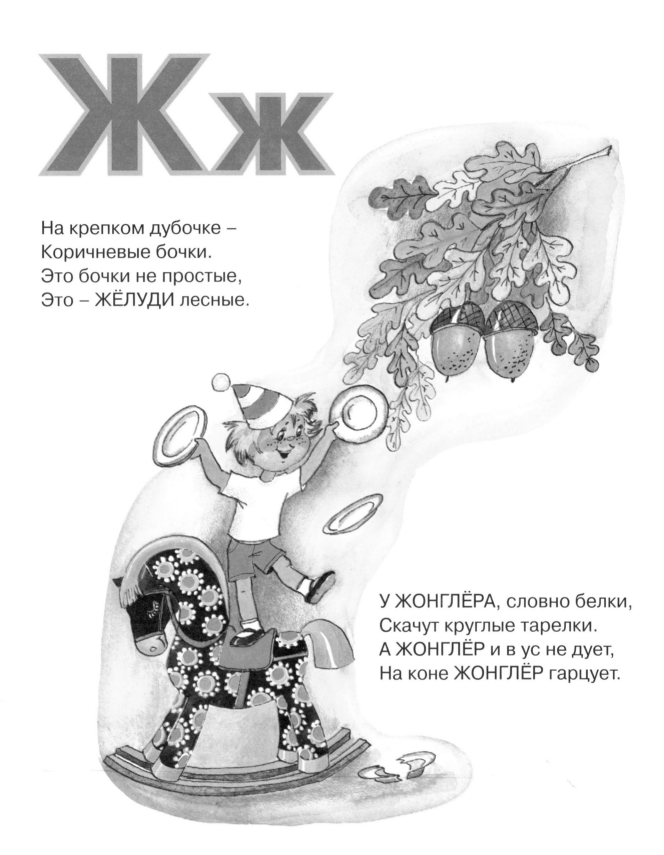

У ЖОНГЛЁРА, словно белки,
Скачут круглые тарелки.
А ЖОНГЛЁР и в ус не дует,
На коне ЖОНГЛЁР гарцует.

В саванне травянистой
Живёт ЖИРАФ пятнистый.
ЖИРАФ пятнистый – великан.
Он ростом как подъёмный кран.

Птицы с длинными ногами
До весны простились с нами.
Машут крыльями вдали
И курлычут ЖУРАВЛИ.

Молча ЖУК сидит в канавке.
Молча ЖУК ползёт по травке.
А когда он полетит –
Зажужжит он, загудит.

Зз

ЗИМОРОДОК –
друг зимы.
Зимородка любим мы.

Любит ЗЕБРА по лужайке
В полосатой бегать майке.
ЗЕБРА даже за конфетку
Не наденет майку в клетку.

ЗАЙКА – серая фуфайка,
Всех в лесу боится ЗАЙКА.
Как услышит ЗАЙКА хруст –
Сразу спрячется под куст.

– Посмотрите на меня:
Я – гремучая ЗМЕЯ.
Если встретитесь со мной –
Обходите стороной.

В тёмных тучах горизонт,
Надо взять в дорогу ЗОНТ.
Если дождик вдруг пойдёт –
ЗОНТ от дождика спасёт.

Ии, Йй

У меня ИГЛА и нить,
Я учусь у мамы шить.
Если пальчик уколю –
ЙОДОМ ранку я залью.

ИВОЛГА не в клетке,
ИВОЛГА на ветке.

По горам, в родной кишлак,
Шёл с поклажею ИШАК.
Й-а-а – какой глазастый!
Й-а-а – какой ушастый!

Может он огонь глотать,
На гвоздях он может спать,
И по снегу без сапог
Может бегать мудрый ЙОГ.

Хвост как веер.
Клюв как крюк.
Эту птицу звать ИНДЮК.
Он надутый,
          грозный,
                важный,
С ним подружится
                не каждый.

Кк

В речку глянула КОРОВА,
А на дне лежит подкова.
«Му! – подумала КОРОВА. –
Подходящая обнова.
С ней была бы я быстрей
Всех знакомых лошадей».

КРОКОДИЛ в реке таится:
Берегись и зверь и птица.
Тот, кто в пасть к нему попал, –
Навсегда уже пропал.

КОТ, усатый, как разбойник,
Перепрыгнул подоконник,
Распугал соседских кур
И мурлыкает: «Мур-мур».

Опускается туман,
Просыпается КАБАН.
Роет землю у реки,
Точит острые клыки.

В камышах запела птица,
Услыхала свист КУНИЦА
И крадётся чуть дыша...
Вот коварная душа!

Лл

Грозный ЛЕВ с огромной
гривой
Воду пьёт неторопливо.
ЛЕВ гривастый –
            царь зверей,
Всех сильней он и храбрей.

ЛОСЬ –
        рога ветвистые
Да копыта быстрые.
Головой качая, он
Задевает небосклон.

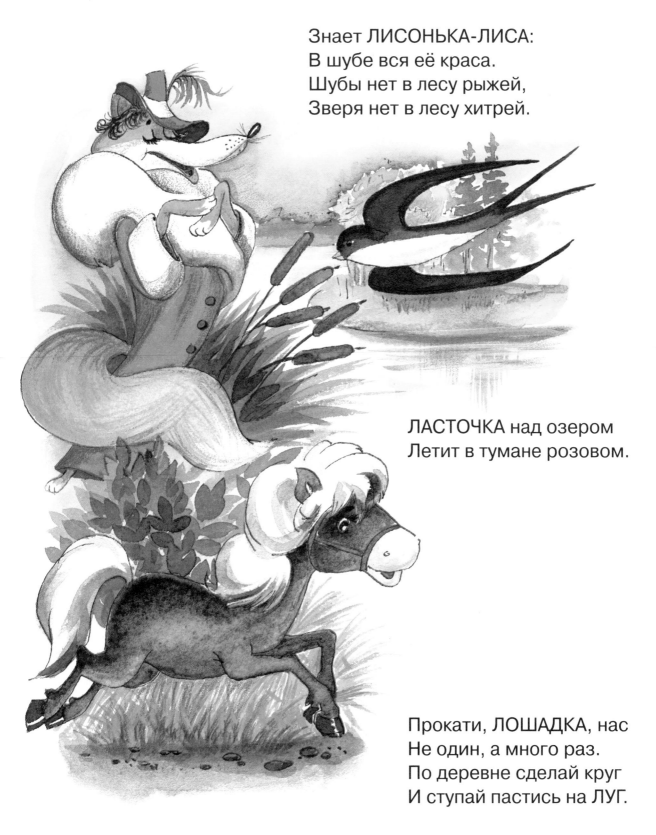

Знает ЛИСОНЬКА-ЛИСА:
В шубе вся её краса.
Шубы нет в лесу рыжей,
Зверя нет в лесу хитрей.

ЛАСТОЧКА над озером
Летит в тумане розовом.

Прокати, ЛОШАДКА, нас
Не один, а много раз.
По деревне сделай круг
И ступай пастись на ЛУГ.

Мм

По завалам, по оврагам
Ходит он хозяйским шагом.
Любит МИШКА сладкий МЁД
Да малину с веток рвёт.

Это что там за цветок,
Словно яркий огонёк?
Это ярко светит так
Наш любимый красный МАК.

МУХОЛОВКА-невеличка
Майским днём снесла яичко.

Мы – красавицы МАТРЁШКИ,
Разноцветные одёжки.
Раз – МАТРЁНА.
Два – МАЛАША.
МИЛА – три. Четыре – МАША.
МАРГАРИТА – это пять.
Нас не трудно сосчитать.

Наши МЫШИ – ваших тише,
Не шуршат по погребам.
К вам не ходят наши МЫШИ,
Не пускайте ваших к нам.

Н н

У НЕКТАРНИЦЫ у птицы
Длинный клюв острее спицы.
Им она в лесах тенистых
Пьёт НЕКТАР цветов душистых.

Наклонилась
        НЕВАЛЯШКА,
Но упасть – не упадёт,
Даже если кот мой Яшка
Неваляшку в бок толкнёт.
В бок толкнёт игрушку он
И в ответ услышит звон.
Интересно очень Яшке,
Что внутри у неваляшки.

НОРКА плавает в реке
От НОРЫ невдалеке.

НОСОРОГ без лишних слов
В драку броситься готов.
Он не даст себя в обиду:
Неуклюж он только с виду.

Оо

В небе ОБЛАКО гуляло,
Вдруг оно ОВЕЧКОЙ стало.
Белою овечкой
Над прохладной речкой.

В лесу осиновом
Дрожат ОСИНКИ.
Срывает ветер
С осин косынки.
Он на тропинки
Косынки сбросит –
В лесу осиновом
Наступит ОСЕНЬ.

Озорная ОБЕЗЬЯНКА,
Хвост колечком, как баранка,
Вниз повисла головой...
Вот так номер цирковой.
Висит и улыбается
Хвостатая красавица.

Белой тундрой целый день
Бродит северный ОЛЕНЬ.
Разгребает снег копытом,
Сладкий ягель ест досыта.

Пп

Это что за старичок
Сеть повесил на сучок?
Сеть повесил и – молчок:
Муху ловит ПАУЧОК.

На закате, на рассвете
Далеко ПЕТУХ заметен.
С гребешка до самых шпор
Не ПЕТУХ, а светофор.

ПОПУГАЙ собой гордится,
Носит он наряд цветной.
А ещё умеет ПТИЦА
Разговаривать со мной.

ПОРОСЯТА голосят:
– Накормите поросят!
Разве плохо из корыта
Отрубей поесть досыта?

У реки, среди лиан,
Поселился ПЕЛИКАН.
ПЕЛИКАН не ловит мошек,
Ловит он в реке рыбёшек.

Рр

Никого я не боюсь,
Сам к любому прицеплюсь.
Я в округе всех сильней
А зовут меня РЕПЕЙ.

Если есть у кисочки
На ушах две кисточки,
Эту киску берегись,
Потому что это – Р-РЫСЬ!

Отчего бежишь ты, РЕЧКА,
Змейкой, петелькой, колечком?
Может быть, от бережка
Хочешь ты сбежать, РЕКА?

РЫБЫ плавают по дну,
РЫБЫ любят тишину.
Плавниками шевелят,
Червячка поймать хотят.

Под корягой, там, где мрак,
Жил в реке драчливый РАК.
Боком он по дну ходил,
Страх на рыбок наводил.

Сс

Свистит моя СВИСТУЛЬКА
Весенним соловьём,
И толстая СОСУЛЬКА
Худеет с каждым днём.
Свистит-переливается,
Летит за трелью трель.
Подснежник просыпается,
Стучит в окно апрель.

САМОВАР раздуть помог
Старый кожаный САПОГ.

Всех огромней в джунглях СЛОН,
Напролом шагает он.
Грозно бивнями блестит,
Вкусно листьями хрустит.

Не сидит она на месте,
На хвосте разносит вести.
Может, в них и мало проку,
Но горда собой СОРОКА.

Поздним вечером СВЕРЧОК
Не ложится на бочок,
А на старой лесенке
Сочиняет песенки.

Тт

ТЮЛЕНЬ лежит на льдине,
Как будто на перине.
Вставать он не торопится,
Жирок под шкурой
           копится.

Я на солнышко глядела,
Хорошела и круглела.
К холодам я не привыкла,
Не капуста я, а ТЫКВА.

ТУШКАНЧИК – зайчик земляной,
В песке он вырыл домик свой.

ТИГРЫ – знают
         все ребята –
Ходят в шкурах
         полосатых.
Полосы огромные,
Жёлтые и тёмные.
От хвоста и до ушей
Цвет песка и камышей.

Сладко на рассвете
Спят в кроватках дети,
А ТЕЛЁНКУ надо
Бежать за мамой в стадо.

ТЕТЕРЕВ – не грозный,
ТЕТЕРЕВ – серьёзный.

Уу

УДОД украшен хохолком,
Удода дом в дупле сухом.

От крыльца и до калитки
Три часа ползли УЛИТКИ.
Не спеша ползли подружки,
На спине таща избушки.

Ух и ловкий УТЮЖОК!
Гладит он умело:
Для кораблика – флажок.
Кукле – фартук белый.

Ветры тёплые подули –
Загудел пчелиный УЛЕЙ.
Загудел пчелиный дом:
Не пора ли за медком?

Переваливаясь важно,
В речку прыгнула отважно
И, с волною говоря,
УТКА плещется: «Кря-кря».

Фф

ФИЛИН старый,
ФИЛИН умный,
У него полёт бесшумный.
А глаза как ФАРЫ две,
Так и светятся в листве.

В концертном зале полумрак,
А на артисте чёрный ФРАК.

Вьётся ФЛАГ над кораблём,
Вьётся вечером и днём.
По волнам корабль плывёт,
Вдаль плывёт и нас зовёт.

За окном темнеет даль,
Зажигается ФОНАРЬ,
Чтобы с мамой из гостей
Нам шагалось веселей.

Прогуляться вышел в сквер
Пёс породы ФОКСТЕРЬЕР.

Хх

У Хоттабыча ХАЛАТ,
Словно зебра, полосат.
Если тот надеть ХАЛАТ,
Будет мне ХАЛАТ до пят.

Растолстела наша ХРЮШКА,
Стала толще, чем кадушка.
Дайте вместо желудей
Хрюшке прыгалки скорей.

На скатёрке новой, чистой
ХЛЕБ румяный, ХЛЕБ душистый,
Пахнет полем он родным,
Речкой и дымком печным.

Ну и хитрый он зверёк –
Юркий, маленький ХОРЁК.
Как его увидят мышки –
Сразу прячутся в домишки.

Цц

Из яйца, как из пелёнок,
Вылез маленький ЦЫПЛЁНОК.
Вот какой он, посмотрите!
Манной кашей накормите.

ЦАПЛЯ в сереньком платочке
Целый час стоит на кочке.
Отдыхает цапля-птица –
Берегов речных ЦАРИЦА.

Кто страною правил встарь?
Раньше ею правил ЦАРЬ.
Он сидел на троне
В золотой короне.

Здесь котята-акробаты,
Здесь и клоуны котята
Через голову – кувырк!
Значит, здесь
        кошачий ЦИРК.

Чч

Раз – ромашка, два – ромашка,
Вся в цветах у мамы ЧАШКА.
И на чайнике цветок...
Ох и вкусный наш ЧАЁК!

Из густых кустов без страха
Выползает ЧЕРЕПАХА.
Что ей дождик? Что ей зной?..
Крепок панцирь костяной.

ЧЕМОДАН из толстой кожи
Вещи нам собрать поможет
И захлопнуть на замок,
Чтоб никто не уволок.

ЧИБИС в солнечной низинке
Чистит пёрышки на спинке.
Разве это не приятно –
Быть красивым и опрятным?

Со стола ЧАСЫ упали…
Полежали, постояли,
Помолчали, постучали
И решили убежать.
Не починишь – не догнать.

Шш

На сосну забрался мишка,
Где росла большая ШИШКА.
ШИШКА смоляная,
Пахучая, лесная.

На нитке машину гулять поведу,
На нитке домой я её приведу.
Почищу ей кузов, кабину, мотор...
Машину беречь должен
                    каждый ШОФЁР.

На колёсах у машины
Есть резиновые ШИНЫ.

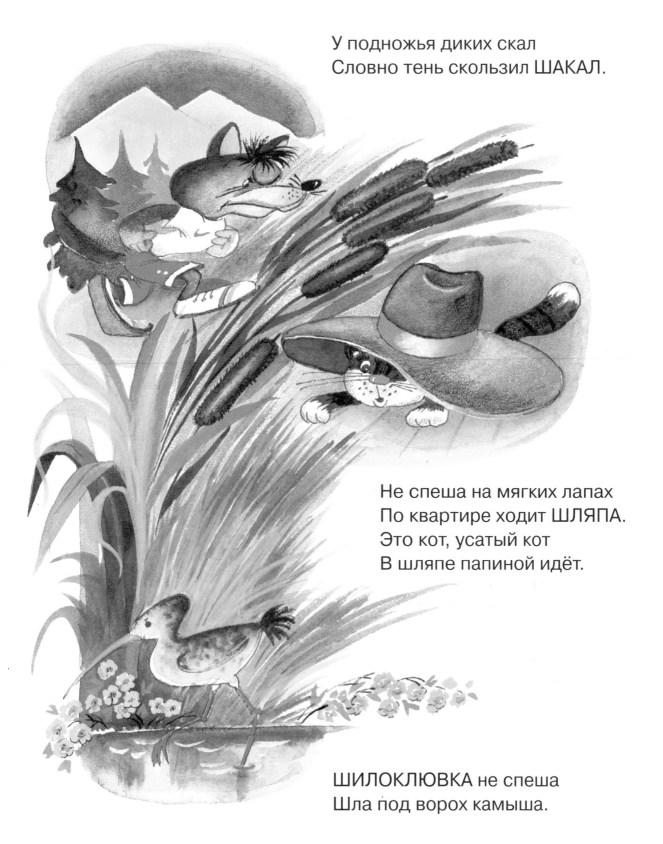

У подножья диких скал
Словно тень скользил ШАКАЛ.

Не спеша на мягких лапах
По квартире ходит ШЛЯПА.
Это кот, усатый кот
В шляпе папиной идёт.

ШИЛОКЛЮВКА не спеша
Шла под ворох камыша.

Щщ

Умывается росой,
Спинка с жёлтой полосой.
Он наряден, а не гол –
Птица певчая ЩЕГОЛ.

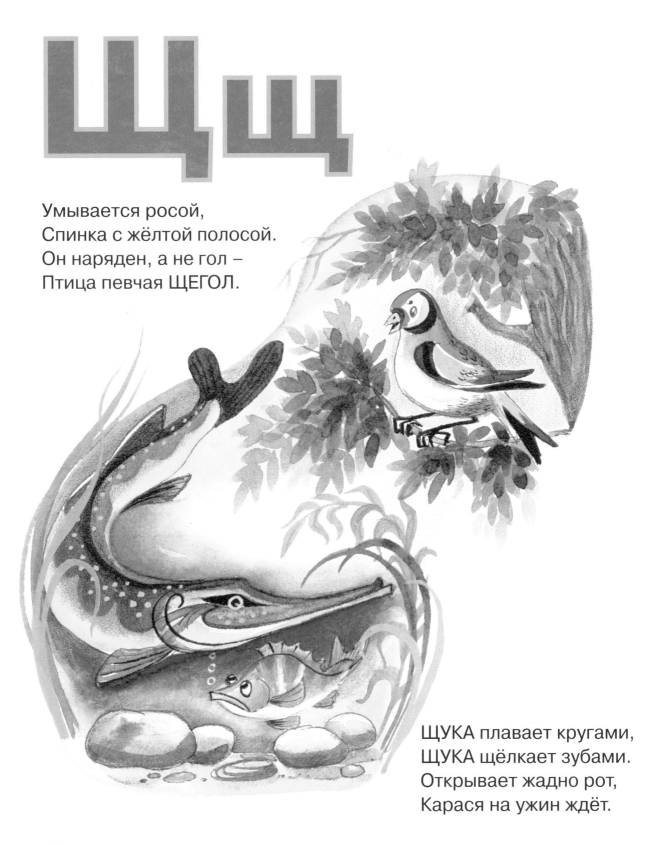

ЩУКА плавает кругами,
ЩУКА щёлкает зубами.
Открывает жадно рот,
Карася на ужин ждёт.

Могут ЩЁТКИ чистить зубы,
Могут ЩЁТКИ чистить шубы.
ЩЁТКИ – это не трещотки,
Нам всегда помогут ЩЁТКИ.

У дворового щенка
Нет ещё друзей пока.
Как найдёт ЩЕНОК друзей –
Сразу станет веселей.

Ъъ, Ыы

Твёрдый знак и буква Ы
В нашей азбуке нужны.
Твёрдый знак в подЪёмном кране,
Ы – в мЫшонке на диване.

Твёрдый знак как твёрдый шаг,
Ходим так и пишем так:
ОБЪЯВЛЕНИЕ, ПОДЪЕЗД,
СЪЕЗД, ОБЪЕДКИ И РАЗЪЕЗД.

СЪела мЫшь хозяйский сЫр,
Не осталось даже дЫр.
Что ж тЫ, кот хозяйский, спишь?
Что же тЫ не ловишь мЫшь?

Толстячок, играя тростью,
Буквой Ы шагает в гости.
НеобЫчной красотЫ
Купит он сейчас цветЫ.

Ы, как вЫпь среди травы,
Ы легко найдёте вы.

Ьь

На урок пришёл оленЬ,
Стал читать он слово «пенЬ»,
Да не смог прочестЬ никак:
Он забыл про мягкий знак.

Мягкий знак попал в букварЬ.
Кто принёс его? ГлухарЬ.

Мягкий знак в погожий денЬ
Подарил друзЬям сиренЬ.

Ты поводЬя толЬко
                тронЬ –
Полетит, как ветер,
                конЬ.

В речке плавает голавлЬ,
В облаках парит журавлЬ.

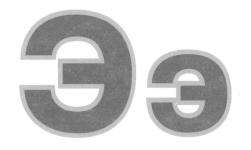

ЭСКИМОС в упряжке быстрой
Ехал тундрой серебристой.
Ехал на оленях, ехал на собаках,
Смелый он, однако…

Шуба длинная до пят,
Глазки чёрные блестят.
Мне в подарок ЭСКИМОС
ЭСКИМО вчера привёз.

Что за дерево такое
Это дерево большое?
Выше сосен, выше лип
Вырос мощный ЭВКАЛИПТ.

По тропинкам, по низинкам
Ходит ЭХО-невидимка,
Повторяя вслед за мной
Все слова в тиши лесной.

Юю

ЮНГА плыл на корабле
К неизведанной земле.
ЮНГА вёл корабль умело
И вперёд смотрел он смело.

ЮЛА развеселилась
И танцевать пустилась.
ЮЛА в цветастой юбочке
У девочки, у Любочки.

Этот дом переносной
В стороне стоит степной.
Тёплым войлоком он крыт,
А внутри очаг горит.
Крыша вверх уходит круто,
Это – войлочная ЮРТА.

Сам изЮбр за буквой Ю
Прыгнул в азбуку мою.

ЮРОК играет с ветерком,
Юрка зовут ещё вьЮрком.

Яя

Шерстью он густой оброс.
ЯК в мороз не прячет нос.

С ветки ЯБЛОКО упало
И по саду побежало.
Побежало мимо Нины,
Мимо Нининой корзины,
Мимо Нининых подруг
И в траве исчезло вдруг…
Ты не морщь в раздумье нос:
Ёжик ЯБЛОКО унёс.

ЯСТРЕБ ягод не клюёт,
ЯСТРЕБ тетерева ждёт.

ЯХТА парус поднимает,
Ветер парус надувает.
На борту – мои друзья:
Буквы все – от А до Я.

На фуражке моряка
Виден он издалека.
И горит, как огонёк,
Золотистый ЯКОРЁК.

ВЕСЁЛЫЙ СЧЁТ

МУРКА В ЗООПАРКЕ

Скучно Мурке у окна,
В зоопарк идёт она.
Есть у Мурочки тетрадь.
Будет Мурочка считать.

От жары укрылся в тень
Толстый северный тюлень.
Он живёт средь белых льдин…
Пишет Мурочка – ОДИН!

Ходят рядом лев и львица,
Царь и грозная царица.
Мурка – родственница льва –
Гордо пишет цифру ДВА.

Ну а здесь резвятся пони,
Пони – маленькие кони.
Сколько здесь их? Посмотри...
Пишет Мурка цифру ТРИ.

Словно в зимние морозы,
В тёплых шубах ходят козы.
Нет рогов острее в мире...
Пишет Мурочка – ЧЕТЫРЕ.

Зайки – серые трусишки,
Длинноухие братишки.
Вышли зайки погулять...
Пишет Мурка цифру ПЯТЬ.

Трудно белочек считать,
Любят белочки скакать.
Но у Мурки навык есть…
Пишет Мурка цифру ШЕСТЬ.

У ежей в иголках шубки,
Не страшны им лисьи зубки,
И не страшен волк совсем…
Пишет Мурка цифру СЕМЬ.

Утки плавают в пруду
И ныряют на ходу.
Их считать занятно очень...
Пишет Мурка цифру ВОСЕМЬ.

Попугаи говорят,
Что красив у них наряд.
Трудно в это не поверить…
Пишет Мурка цифру ДЕВЯТЬ.

Обожают обезьяны
Есть душистые бананы.
Вот бы всюду их развесить...
Пишет Мурка цифру ДЕСЯТЬ.

ДЕСЯТЬ! Кончилась тетрадь.
Негде Мурочке писать.
Ну и ладно, ну и пусть –
Счёт запомним наизусть!

НА ГОРКЕ

ОДИН – мы с горки покатились.
ДВА – в сугробе очутились.
ТРИ – искать мы санки стали.
А ЧЕТЫРЕ – отыскали.

ПЯТЬ – на горку поднялись.
ШЕСТЬ – на санках понеслись.
СЕМЬ – опять перевернулись
И домой в снегу вернулись.

ВОСЕМЬ – дома ужин съели.
ДЕВЯТЬ – спать мы захотели.
ДЕСЯТЬ – мы в кроватках спим
И во сне с горы летим.

ДЕСЯТЬ – утром мы проснулись.
ДЕВЯТЬ – сладко потянулись.
ВОСЕМЬ – быстро мы оделись.
СЕМЬ – позавтракать уселись.

ШЕСТЬ – мы снова санки взяли.
ПЯТЬ – на горку побежали.
ЧЕТЫРЕ – с горки покатились.
ТРИ – в сугробе очутились.

ДВА – в сугробе мы лежим.
ОДИН – за санками бежим.

СОСЧИТАЕМ ВСЁ ВОКРУГ

1+1

Вырос гриб в тени осин.
Он сначала был ОДИН.
Тут второй грибок пробился,
Рядом с первым очутился.
Стала их считать сова:
Получилось ровно ДВА.

2+1

ДВА цыплёнка у дорожки
Не спеша клевали крошки.
Подбежал к ним старший брат,
И – прибавилось цыплят.

Запищали братья звонко...
ТРИ теперь у нас цыплёнка.

2+2

ДВА мышонка грызли корку.
ДВА – сырок тащили в норку.
Сколько их у нас в квартире?
ДВА плюс ДВА – всего ЧЕТЫРЕ.

3+2

ТРИ синички на кормушке.
ДВЕ синички на кадушке.
Мы умеем прибавлять:
Всех синичек будет ПЯТЬ.

3+3

Васька – ловкий рыбачок –
Ловит рыбок на крючок.
ТРЁХ поймал он на рассвете.
ТРЁХ поймал в вечерний час.
Коль сложить нам рыбок этих,
ШЕСТЬ получится у нас.

4+3

У мышки-норушки
ЧЕТЫРЕ мешка,
ЧЕТЫРЕ мешка,
Где хранится мука.

Еще ТРИ мешка
Для сухих корешков.
Всего, значит, СЕМЬ
У норушки мешков.

6+2

Ветер песню напевал,
Ветер листья обрывал.
ШЕСТЬ сорвал он у осины,
ДВА сорвал он у рябины,
И на землю тихо сбросил...
Сколько их он сбросил? ВОСЕМЬ.

5+4

Взял иголку ёжик в лапки,
Стал он шить зверятам шапки.
ПЯТЬ – для маленьких зайчат,
А ЧЕТЫРЕ – для волчат.
Ёжик шапки шьёт толково,
ДЕВЯТЬ шапок у портного.

5+5

Запасалась белка впрок,
За грибком несла грибок.
Получилось ПЯТЬ опят,
Получилось ПЯТЬ маслят.
Стала вешать их на сук,
Насчитала ДЕСЯТЬ штук.

10−5

По дорожке мышка шла,
ДЕСЯТЬ пончиков несла.
ПЯТЬ подружкам отдала,
ПЯТЬ гостям приберегла.

10−2

Друг за другом, ровно в ряд
ДЕСЯТЬ плавало утят.
В камыши заплыли ДВОЕ...
Значит, их считать не стоит.
Было ДЕСЯТЬ, ДВА – отбросим
И напишем цифру ВОСЕМЬ.

9−3

Сидя около окошка,
Пузыри пускала кошка.
Как пустила ДЕВЯТЬ штук –
ТРИ решили лопнуть вдруг.
ТРИ мы вычтем поскорей,
ШЕСТЬ получим пузырей.

8−3

По дорожке мышка шла,
ВОСЕМЬ зёрнышек несла.
ТРИ синичке отдала,
ПЯТЬ в кладовку убрала.

7−4

СЕМЬ бумажных кораблей
Сделал мастер воробей.
Подарил ЧЕТЫРЕ мышкам,
ТРИ оставил воробьишкам.

99

6−2

Торговал баран на рынке,
Продавал баран корзинки.
ШЕСТЬ корзинок продавал
И жевал, жевал, жевал…
ДВУХ корзинок больше нет,
ЧЕТЫРЕ пишем мы в ответ.

5–3

А теперь пора бананы
Сосчитать у обезьяны.
ОДИН, ДВА, ТРИ, ЧЕТЫРЕ, ПЯТЬ...
Можно ТРИ на завтрак дать,
Их уже не будет ПЯТЬ.
Обезьянка, ты права:
Их останется лишь ДВА.

4−1

ЧЕТЫРЕ гусёнка гуляли в саду,
ОДИН искупаться задумал в пруду.
Решил с головой он под воду нырнуть…
Теперь только ТРИ
 продолжают свой путь.

3−1

Кошка в кубики играла,
Кошка кубик потеряла.
Закружилась голова…
Было ТРИ – осталось ДВА.

2−1

Пели песню ДВЕ синицы,
ДВЕ подружки, ДВЕ певицы.
Тут ОДНА из них пропала –
Видно, петь она устала.
Здесь подсказка не нужна:
Было ДВЕ – теперь ОДНА.

1–1

Рос на ветке апельсин,
Написали мы ОДИН.
Потому что был ОДИН
Золотистый апельсин.

Тут сорвали мы его.
Что на ветке? Ничего.
Значит, надо нам в тетрадь
Цифру НОЛЬ теперь писать.

ВРЕМЕНА ГОДА

ПЕРВОЙ к нам зима идёт.
Новый год она ведёт.

За зимой – ВТОРОЙ – весна.
Говорят: «Весна – красна».

ТРЕТЬИМ – лето всё в цветах
И с малиной на кустах.

А ЧЕТВЁРТОЙ осень…
Лес наряд свой сбросил.

ПОДСКАЖИ ОТВЕТ, КАРТИНКА!

Две белки

Здесь рыжих белок
Ровно ДВЕ:
ОДНА – в дупле,
ОДНА – в траве.

Три волнушки

Появились на опушке
ТРИ волнушки,
ТРИ подружки.

ДВЕ – под ёлочкой в теньке,
А ОДНА – на бугорке.

Четыре корзинки

Купили на рынке
ЧЕТЫРЕ корзинки.
ДВЕ – для Иринки
И ДВЕ – для Маринки.

Пять поросят

На этой картинке
ПЯТЬ поросят:
ДВА – в луже,
А ТРИ – отрубями
Хрустят.

Шесть зайцев

На этой картинке
ШЕСТЬ зайцев в избушке:
ДВА – в шашки играют,
ЧЕТЫРЕ – в игрушки.

Семь мышек

На этой картинке
СЕМЬ мышек-артисток:
ОДНА – пианистка
И ШЕСТЬ – баянисток.

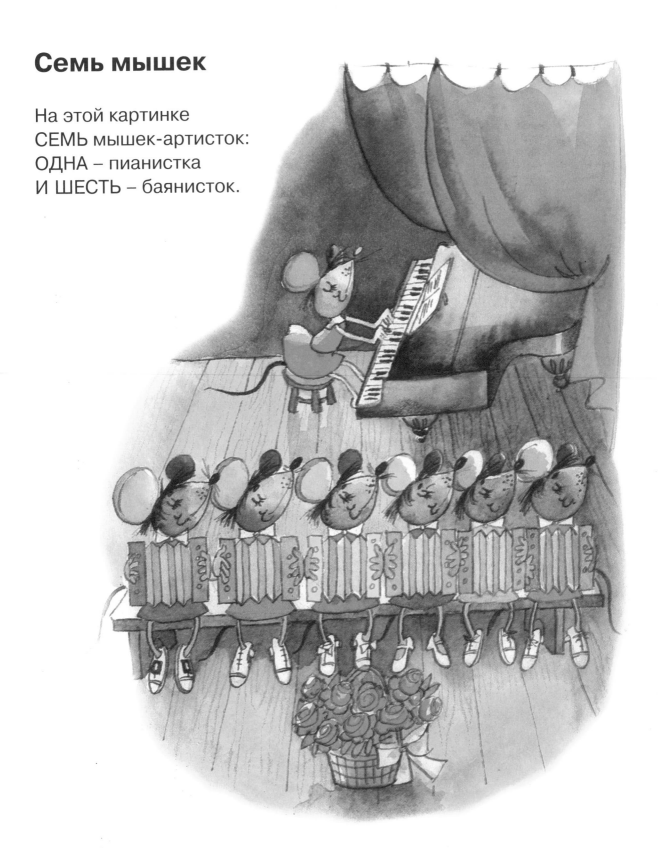

Восемь мышей

Всех мышей в большой семейке
Мы решили сосчитать:
ДВА мышонка – на скамейке,
ТРОЕ в доме. Это – ПЯТЬ.

ТРОЕ едут на машине,
Вот они сидят в кабине.
ПЯТЬ да ТРИ – в семейке всей
ВОСЕМЬ сереньких мышей.

Девять лисичек

На этой картинке
ДЕВЯТЬ лисичек:
СЕМЬ – бабочек ловят,
ДВЕ – маленьких птичек.

Десять гусей

На этой картинке
ДЕСЯТЬ гусей:
ПЯТЬ – в гости идут,
ПЯТЬ – идут из гостей.

НА ЗАРЯДКУ ПО ПОРЯДКУ

Объявляется подъём,
На зарядку мы идём.

Самый первый – конь примерный.
Конь примерный – значит, ПЕРВЫЙ.

За конём – двора герой,
Храбрый козлик, он – ВТОРОЙ.

За козлёнком – добрый Петя,
Он у нас по счёту ТРЕТИЙ.

Вот индюк шагает гордый,
По порядку он ЧЕТВЁРТЫЙ.

Следом кот спешит усатый,
Не четвёртый он, а ПЯТЫЙ.

За котом, в траве густой,
Скачет кролик, он – ШЕСТОЙ.

Появился гусь лихой.
Гусь лихой у нас СЕДЬМОЙ.

За гусём бежит трусцой
Хрюшка. Хрюшке быть ВОСЬМОЙ.

Прибежал щенок кудлатый.
Он какой у нас? ДЕВЯТЫЙ.

За щенком скворец пернатый,
Он последний, он – ДЕСЯТЫЙ.

Все мы встали по порядку,
Начинать пора зарядку.

СЧИТАЛКИ

Весна

Раз и два – звенят капели,
Три, четыре – мы запели.
Пять и шесть – летят скворцы,
К нам летят весны гонцы.
Семь и восемь – песни льются,
Девять, десять – все смеются.

Мяч

Раз, два, три – беру я мяч.
Раз, два, три – он мчится вскачь.
Раз, два, три – бегу за ним,
Красно-жёлто-голубым.

Воробей

Сел на ветку воробей
И качается на ней:
Раз, два, три, четыре, пять,
Неохота улетать.

Дед Кирилл

Раз и два! Раз и два —
Дед Кирилл пилил дрова.
Два часа пилил Кирилл,
Два полена распилил.

УДК 821.161.1-1-93
ББК 84(2Рос=Рус)6-5
С79

Литературно-художественное издание

Для дошкольного возраста

СЕРИЯ «ДЛЯ САМЫХ МАЛЕНЬКИХ»

Степанов Владимир Александрович

БУКВЫ • АЗБУКА • СЧИТАЛКИ

Стихи

Ответственный за выпуск *Л. Кузьмина*
Художественный редактор *Т. Никитина*
Технический редактор *Т. Андреева*
Корректор *Т. Чернышёва*
Компьютерная верстка *О. Краюшкина*

ISBN 978-5-389-00273-9

Подписано в печать 05.05.2009.
Формат 84×108 $^1/_{16}$. Бумага офсетная № 1.
Гарнитура «Прагматика». Печать офсетная. Усл. печ. л. 13,44.
Доп. тираж 10 000 экз. Заказ № 1669.

128 с., с ил.

ООО «Издательская Группа Аттикус» —
обладатель товарного знака Machaon
119991, Москва, 5-й Донской проезд, д. 15, стр. 4
Тел. (495) 933-7600, факс (495) 933-7619
E-mail: sales@atticus-group.ru
Наш адрес в Интернете: www.atticus-group.ru

ОПТОВАЯ И МЕЛКООПТОВАЯ ТОРГОВЛЯ

В Москве:
Книжная ярмарка в СК «Олимпийский»
129090, Москва, Олимпийский проспект, д. 16,
станция метро «Проспект Мира»
Тел. (495) 937-7858

В Санкт-Петербурге «Аттикус-СПб»:
198096, Санкт-Петербург, Кронштадтская ул., д. 11, 4-й этаж, офис 19
Тел./факс (812) 325-0314, (812) 325-0315

В Киеве «Махаон-Украина»:
04073, Киев, Московский проспект, д. 6, 2-й этаж
Тел. (044) 490-9901
E-mail: sale@machaon.kiev.ua

Отпечатано с готовых диапозитивов
в Открытом акционерном обществе «Ордена Октябрьской
Революции, Ордена Трудового Красного Знамени
«Первая Образцовая типография».
115054, Москва, Валовая, 28